RICKY RICOTTA ET SON
ROBOT GÉANT

CONTRE LES VAUTOURS VAUDOU DE VÉNUS

DAV PILKEY

ILLUSTRATIONS DE
DAN SANTAT

Texte français de Grande Allée Translation Bureau

Éditions
■ SCHOLASTIC

**POUR JOSEPH, GRACE
ET JACOB RITZERT
– D.P.**

**POUR MAMAN ET PAPA
– D.S.**

Catalogage avant publication de Bibliothèque et Archives Canada

Pilkey, Dav, 1966-
[Ricky Ricotta's mighty robot vs. the voodoo vultures from Venus. Français]
Ricky Ricotta et son robot géant contre les vautours vaudou de Vénus /
Dav Pilkey, auteur ; Dan Santat, illustrateur ; traduction de Grande Allée
Translation Bureau.

Traduction de : Ricky Ricotta's mighty robot vs. the voodoo vultures from Venus.
ISBN 978-1-4431-4348-6 (couverture souple)

I. Santat, Dan, illustrateur II. Titre. III. Titre : Ricky Ricotta's mighty
robot vs. the voodoo vultures from Venus. Français.

PZ23.P5565Ricka 2015   j813'.54   C2014-905895-0

Édition publiée par les Éditions Scholastic, 604, rue King Ouest, Toronto (Ontario) M5V 1E1

6 5 4 3 2   Imprimé en Chine 38   16 17 18 19 20

Conception graphique du livre : Phil Falco

TABLE DES MATIÈRES

CHAPITRE UN
EN RETARD POUR LE SOUPER

C'est l'heure du souper chez les Ricotta. Le papa de Ricky est assis à table. La maman de Ricky est assise à table. Mais Ricky, lui, n'est pas assis à table.

Ni son robot géant d'ailleurs.

— Il est six heures, dit le père de Ricky. Ricky et son robot géant sont encore en retard pour le souper.

À ces mots, Ricky et son robot géant atterrissent devant la maison.

— Excusez-nous d'être en retard, dit
Ricky. On ramassait des coquillages à Hawaï.

— C'est la troisième fois que
vous êtes en retard pour le souper
cette semaine, répond la mère
de Ricky. Plus de télé jusqu'à ce
que vous appreniez le sens des
responsabilités.

— Plus de télé? proteste
Ricky. Mais c'est *Raton Fusée*
qui passe ce soir. Tout le monde
sur la Terre l'écoute!

— Tout le monde sauf vous
deux, tranche le père de Ricky.

CHAPITRE DEUX
RESPONSABILITÉ

Ricky et son robot géant se couchent tôt ce soir-là. Ils campent dans la cour sous les étoiles.

— J'aimerais tellement pouvoir regarder la télé ce soir, se plaint Ricky.

Le robot dévisse sa main et fait apparaître une télé à écran géant.

— Non, dit Ricky, il faut d'abord qu'on apprenne le sens des responsabilités.

Le sens des responsabilités. Le robot géant ne comprend pas ce que ça veut dire.

— *Le sens des responsabilités,* répète Ricky, c'est faire ce qu'il faut au bon moment.

Ricky et son robot géant savent toujours ce qu'il faut faire...

mais ils ne savent pas toujours
reconnaître *le bon moment.*

CHAPITRE TROIS

VICTOR VON VOTUR

À quarante millions de kilomètres de la Terre, sur la planète Vénus, vit un horrible vautour.

TEMPÉRATURE : 462 °C

PLUS QUE 2 915 HEURES AVANT
LE COUCHER DU SOLEIL!

PRÉVISIONS POUR LA JOURNÉE :
GLOBALEMENT GAZEUX
(AVEC UNE PROBABILITÉ DE
PLUIE D'ACIDE SULFURIQUE)

Il s'appelle Victor Von Votur et
déteste habiter sur Vénus.

Il fait si chaud sur Vénus que la nourriture est immangeable. Les sandwichs au fromage fondant sont toujours *beaucoup trop coulants,*

il faut boire sa tablette de chocolat
avec une paille,

et la crème glacée fond avant même qu'on puisse y goûter!

C'est pourquoi Victor Von Votur a décidé d'envahir la Terre, une planète où la nourriture est bonne.

Pour commencer, il invente le Canon-Vaudou 2000. Puis il se place aux commandes et commence à chercher des soldats pour son armée.

EN VOILÀ UN!

CV-2000

JE VAIS LUI ENVOYER UN DE MES HYPNO-CASQUES!

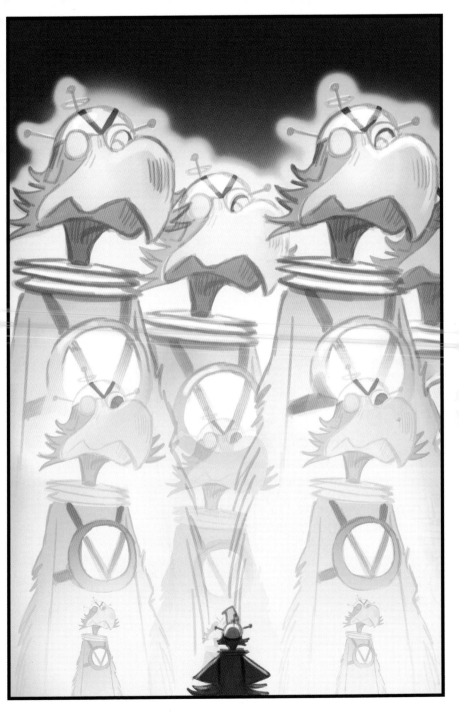

MOUAH HA HA HA HA HA HA

ÉCOUTEZ BIEN, CERVELLES DE MOINEAUX!

EN APPUYANT SUR CE BOUTON, J'ENVERRAI UN RAYON VAUDOU À TRAVERS L'ESPACE...

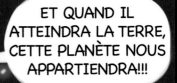

ET QUAND IL ATTEINDRA LA TERRE, CETTE PLANÈTE NOUS APPARTIENDRA!!!

BIP

VVVVVRRR!

BZZZZZ

CHAPITRE QUATRE
LES RAYONS VAUDOU DE L'ESPACE

Ricky et son robot géant s'endorment sous les étoiles pendant que toute la ville regarde la télévision.

Tout à coup, le rayon vaudou de
l'espace tombe sur la ville. Le signal
est capté par toutes les télévisions

Les écrans émettent une lueur
étrange, et une voix lugubre se fait
entendre.

— Il faut obéir aux vautours vaudou!
Il faut obéir aux vautours vaudou!

Au bout de quelques minutes,
toutes les souris de la ville sont
hypnotisées.

CHAPITRE CINQ
DÉJEUNER AVEC LE ROBOT

Le lendemain matin, Ricky se réveille et entre dans la maison pour préparer son déjeuner. Mais il ne reste pas une miette de nourriture.

— Hé! dit Ricky. Où est passée toute la nourriture? Je ne peux pas aller à l'école sans avoir déjeuné!

Le robot de Ricky sait quoi faire. Il s'envole pour la Floride et revient tout de suite avec un oranger dans les mains.

— Merci, dit Ricky. J'adore le jus d'orange fraîchement pressé! Est-ce que je peux avoir un beigne avec ça?

Le robot géant de Ricky redécolle illico.
Il revient avec des beignes frais.

LE ROI DES BEIGNES

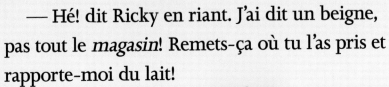

— Hé! dit Ricky en riant. J'ai dit un beigne, pas tout le *magasin*! Remets-ça où tu l'as pris et rapporte-moi du lait!

Le robot s'envole à nouveau. Il
revient avec du lait vraiment très frais.
— Hum, dit Ricky. Je crois que je
ne prendrai pas de lait aujourd'hui.

CHAPITRE SIX
OBÉISSEZ AUX VAUTOURS VAUDOU

Après le déjeuner, le robot géant
amène Ricky tout droit à l'école.
Mais il y a quelque chose de bizarre...

Les souris ont toutes une étrange
expression sur le visage. Elles sortent
de la cafétéria et se dirigent vers le
centre-ville. Ricky s'adresse à son
prof de lecture, Mlle Suisse.

— Que se passe-t-il? demande Ricky.

— Il faut obéir aux vautours vaudou, répond Mlle Suisse.

Ricky aperçoit ensuite son prof de math, M. Mozzarella.

— Je croyais qu'on avait un examen aujourd'hui? demande Ricky.

— Il faut obéir aux vautours vaudou, répond M. Mozzarella.

Enfin, Ricky rencontre le directeur
M. Provolone.

— Mais où allez-vous tous comme
ça? demande Ricky.

— Il faut obéir aux vautours vaudou,
répond M. Provolone.

Personne ne répond aux questions de Ricky.

— Viens, robot, dit-il. On va découvrir ce qui se cache derrière tout ça!

CHAPITRE SEPT
LA VILLE SOUS LE CONTRÔLE DES VAUTOURS

Ricky et son robot géant suivent la longue file de souris jusqu'au centre-ville, où une bien mauvaise surprise les attend.

Victor Von Votur et son armée de vautours géants se sont emparés de la ville et ont transformé ses habitants en esclaves vaudou. Affamés, les vautours dévorent chaque miette de nourriture.

— Nous voulons plus de biscuits aux brisures de chocolat, crie l'un des vautours.

— Oui, maître! disent les souris en courant à leurs fours.

— Mais n'apportez plus de *galettes de riz!* hurle un autre vautour.

— Il faut arrêter ces horribles vautours, dit Ricky à voix basse. Mais comment faire?

Ricky et son robot géant examinent les environs. Ils découvrent Victor et sa diabolique invention.

— Je parie que les vautours contrôlent tout le monde avec cette télécommande, explique Ricky. Il faut leur arracher leur invention.

Mais ça, c'est plus facile à dire qu'à faire.

— Hum, dit Ricky. Ce qu'il faut,
c'est une diversion.

CHAPITRE HUIT
LA RECETTE DE RICKY

Ricky et son robot géant se précipitent vers l'école. Dans la cuisine de la cafétéria, Ricky mélange de la farine et du lait dans un grand bol. Ensuite, il ajoute du sucre, des œufs et des brisures de chocolat.

— Et maintenant, ajoutons l'ingrédient secret, annonce Ricky.

Le robot géant s'envole pour le Mexique et revient les mains chargées des piments les plus forts qu'il a pu trouver.

Ricky remue la pâte pendant que le robot ajoute des centaines de piments rouges extra-forts.

Le robot géant cuit les biscuits en deux secondes en lançant des micro-ondes avec ses yeux, puis il les refroidit avec son haleine super-congelante.

CHAPITRE NEUF
LE DÎNER EST SERVI

Ricky et son robot géant retournent au centre-ville. Ricky fait semblant d'être hypnotisé et apporte ses biscuits aux vautours vaudou.

— C'est pas trop tôt! se plaint un des vautours.

— Donne-moi les biscuits, dit un autre vautour.

Gourmands, les vautours se disputent les biscuits et les avalent tout ronds.

Les vautours se mettent à hurler en sautillant de douleur :
— AÏE! AÏE! AÏE!

Le robot géant en profite pour saisir le Canon-Vaudou 2000. Il l'écrase sans effort.

Tous les habitants de la ville
retrouvent brusquement leurs
esprits. Ils hurlent à la vue des
vautours vaudou et prennent
leurs jambes à leur cou. Le robot
de Ricky a sauvé la ville... mais
Victor Von Votur ne l'entend pas
de cette oreille.

CHAPITRE DIX
L'IDÉE BRILLANTE
DE RICKY

Victor Von Votur sait que Ricky et le robot géant font équipe. Il fonce sur Ricky et le prend dans ses serres.

— N'approche pas, robot géant! menace Victor. Sinon c'en est fait de ton petit copain.

Les vautours vaudou sont furieux.
Soufflant bruyamment, ils encerclent le
robot géant.

— Tu vas regretter de nous avoir
piégés! dit Victor Von Votur en s'envolant
toujours plus haut.

Au moment où tout semble
perdu, Ricky a une idée.

Il arrache une des plumes du postérieur de Victor Von Votur.

— Aïe! crie Victor.

Ricky se met à chatouiller la serre de Victor.

— Hé! Arrête! Ça chatouille! dit
Victor Von Votur en riant.

Mais Ricky continue. Il chatouille
Victor de plus en plus vite et Victor se
met à rire de plus en plus fort.

Victor Von Votur finit par
lâcher Ricky, qui tombe à pic.

Ricky a un gros problème! Il est en chute libre et il descend de plus en plus vite.

— Au secours, robot géant! crie-t-il.

À la vitesse de l'éclair, le bras du robot géant s'élance dans les airs et attrape Ricky par son tee-shirt...

puis le dépose doucement sur un arbre.

— Merci! dit Ricky. À l'attaque maintenant!

CHAPITRE DOUZE
LA BATAILLE COMMENCE

Le robot géant s'élance dans les airs et capture Victor dans son poing gigantesque.

— À moi, vautours vaudou, À MOI! hurle Victor.

Les vautours vaudou se mettent en position d'attaque. Ils sont trop nombreux pour le robot géant.

— Je sens que je vais bien m'amuser, ricane Victor.

Les vautours vaudou se lancent à l'attaque. Le robot géant riposte.

— Hé! attends une minute, robot! proteste Victor. Commence par me lâcher!

Mais le robot géant n'a pas le temps de lâcher Victor qui se retrouve au centre de la bataille.

Chaque fois que le robot frappe un vautour, Victor en ressent le choc.

Chaque fois que le robot géant donne un coup de poing, Victor en reçoit un aussi.

Chaque fois que le robot géant frappe les têtes de deux vautours ensemble, c'est Victor qui se fait le plus mal.

— Aïe, aïe, *aïe!* crie Victor Von Votur. C'est un peu moins amusant que j'aurais cru.

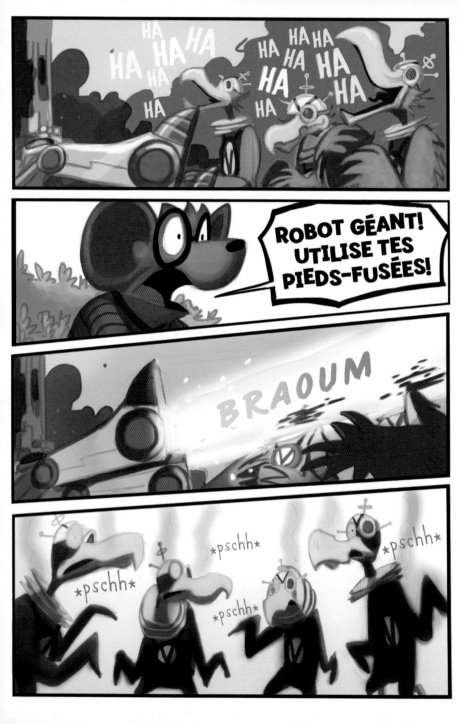

CHAPITRE TREIZE
LA GRANDE BATAILLE
(EN TOURNE-O-RAMA^{MC})

TOURNE
EH! LES ENFANTS! VOUS POUVEZ ANIMER L'ACTION EN SUIVANT LES ÉTAPES À DROITE. C'EST FACILE!

-O-RAMA

MODE D'EMPLOI :

ÉTAPE Nº 1

Place la main gauche sur la zone marquée « MAIN GAUCHE » à l'intérieur des pointillés. Garde le livre ouvert et bien à plat.

ÉTAPE Nº 2

Saisis la page de droite entre le pouce et l'index de la main droite, à l'intérieur des pointillés, dans la zone marquée « POUCE DROIT ».

ÉTAPE Nº 3

Tourne rapidement la page de droite dans les deux sens jusqu'à ce que les dessins aient l'air animés.

(Pour t'amuser encore plus, tu peux faire tes propres effets sonores!)

TOURNE-O-RAMA 1

(pages 95 et 97)

N'oublie pas de tourner *seulement*
la page 95. Assure-toi de pouvoir
voir les dessins aux pages 95 *et* 97
en tournant la page. Si tu la tournes
assez vite, les deux images auront
l'air d'un <u>seul</u> dessin *animé*.

N'oublie pas de faire
tes propres effets sonores!

MAIN GAUCHE

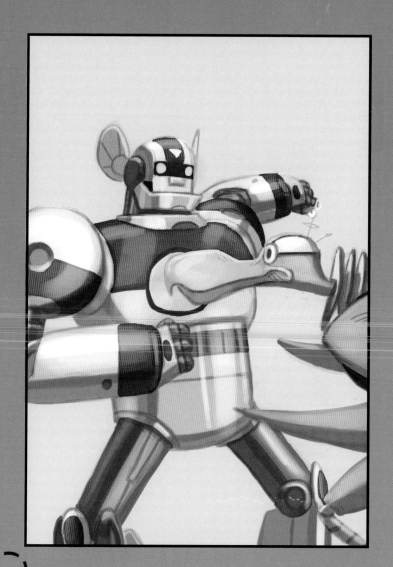

LES VAUTOURS
VAUDOU ATTAQUENT.

POUCE
DROIT

LES VAUTOURS VAUDOU ATTAQUENT.

TOURNE-O-RAMA 2

(pages 99 et 101)

N'oublie pas de tourner *seulement* la page 99. Assure-toi de pouvoir voir les dessins aux pages 99 *et* 101 en tournant la page. Si tu la tournes assez vite, les deux images auront l'air d'un <u>seul</u> dessin *animé*.

N'oublie pas de faire tes propres effets sonores!

MAIN GAUCHE

LE ROBOT DE RICKY CONTRE-ATTAQUE.

POUCE
DROIT

LE ROBOT DE RICKY CONTRE-ATTAQUE.

TOURNE-O-RAMA 3

(pages 103 et 105)

N'oublie pas de tourner *seulement*
la page 103. Assure-toi de pouvoir
voir les dessins aux pages 103 *et* 105
en tournant la page. Si tu la tournes
assez vite, les deux images auront
l'air d'un <u>seul</u> dessin *animé*.

N'oublie pas de faire tes propres
effets sonores!

MAIN GAUCHE

LES VAUTOURS VAUDOU
LIVRENT UN RUDE COMBAT.

POUCE
DROIT

LES VAUTOURS VAUDOU
LIVRENT UN RUDE COMBAT.

TOURNE-O-RAMA 4

(pages 107 et 109)

N'oublie pas de tourner *seulement*
la page 107. Assure-toi de pouvoir
voir les dessins aux pages 107 *et* 109
en tournant la page. Si tu la tournes
assez vite, les deux images auront
l'air d'un <u>seul</u> dessin *animé*.

N'oublie pas de faire tes propres
effets sonores!

MAIN GAUCHE

LE ROBOT LIVRE UN COMBAT
ENCORE PLUS RUDE

LE ROBOT LIVRE UN COMBAT
ENCORE PLUS RUDE.

TOURNE-O-RAMA 5

(pages 111 et 113)

N'oublie pas de tourner *seulement*
la page 111. Assure-toi de pouvoir
voir les dessins aux pages 111 *et* 113
en tournant la page. Si tu la tournes
assez vite, les deux images auront
l'air d'un <u>seul</u> dessin *animé*.

N'oublie pas de faire tes propres
effets sonores!

MAIN GAUCHE

RICKY ET LE ROBOT
FÊTENT LA VICTOIRE.

POUCE
DROIT

RICKY ET LE ROBOT
FÊTENT LA VICTOIRE.

CHAPITRE QUATORZE
JUSTICE EST FAITE

Les horribles vautours vaudou ne sont pas de taille contre le robot géant de Ricky.

— Sauve qui peut! crient-ils.

— Hé! Attendez-moi! crie Victor Von Votur.

Mais il est trop tard.

Les vautours vaudou s'envolent pour Vénus.

On n'entendra plus jamais parler d'eux.

Le robot géant va chercher Ricky, puis tous deux s'emparent de Victor et le jettent dans la prison de la ville.

— Ouiiiiiin, gémit Victor.

— Tiens! Ça t'apprendra le sens des responsabilités! déclare Ricky.

Ricky et son robot géant s'envolent
en direction de la maison…

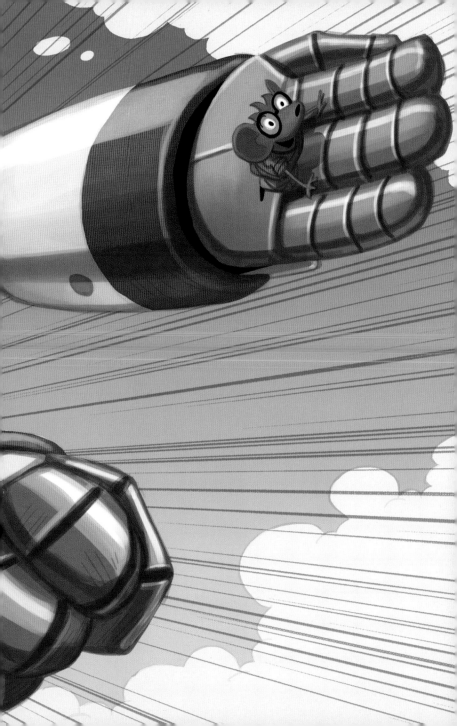

et arrivent juste à temps pour le souper.

CHAPITRE QUINZE

À L'HEURE POUR LE SOUPER

Le papa et la maman de Ricky ont préparé tout un festin pour Ricky et son robot géant.

— Super! s'écrie Ricky. Un souper télé! C'est ce que je préfère!

— Nous sommes très fiers de vous, leur dit la mère de Ricky.

— Merci d'avoir fait ce qu'il fallait au bon moment, ajoute le père de Ricky.

— Il n'y a pas de quoi, dit Ricky.

Et il ajoute :

— Les amis sont faits pour ça!

ES-TU PRÊT
AUTRE RICKY

POUR UN RICOTTA?

DAV PILKEY

a écrit et illustré plus de cinquante livres pour enfants. Il est le créateur des livres classés au palmarès du *New York Times, Les aventures du Capitaine Bobette*. Dav est aussi récipiendaire de prix prestigieux pour la création de nombreux albums illustrés, notamment le prix Caldecott Honor Book pour son livre *The Paperboy*. Il vit dans le nord-ouest des États-Unis avec sa femme.

DAN SANTAT

est l'auteur-illustrateur de l'album *The Adventures of Beekle : The Unimaginary Friend*. Il a illustré plusieurs albums acclamés par la critique, dont *Grognonstein* de Samantha Berger. Il est aussi le créateur de la bande dessinée *Mini-Justiciers* et a travaillé sur *The Replacements*, la très populaire émission d'animation de la chaîne Disney. Il vit dans le sud de la Californie avec sa famille.